Carl Larsson-tavlor

Svenska Bokhandlareföreningen

Distribution Seelig & Co., Solna

Omslagsbilder:

Azalea. 1906. Akvarell. 62 × 45 cm
Stockholm, Thielska Galleriet.

Gården och brygghuset. 1900. Akvarell. 43 × 32 cm.
Stockholm, Nationalmuseum.

Förord och biografi av
Professor Stig Ranström,
dotterson till Carl Larsson.

© Karl Robert Langewiesche Nachfolger Hans Köster
Tryckt i Västtyskland av Rombach & Co., Freiburg, 1976
ISBN 91-7260-077-2

Om konstnären Carl Larsson

Svensk historia är rik på exempel på att barn födda på livets skuggsida, uppväxta under ekonomiskt knappa eller kanske i många avseenden vidriga förhållanden senare i livet kunnat nå framstående positioner i samhället. Detta faktum kan väl vara ett bevis för att lyckliga kombinationer av arvsanlag i alla tider haft möjligheter att göra sig gällande i vårt land även om svårigheterna var större förr än i våra dagar. Carl Larssons levnadshistoria är därför på intet sätt unik eller ens märklig. På fädernet härstammade han från en solid sörmländsk bonde-släkt, på mödernet från en stockholmsk hantverkar-familj utan påtagliga ekonomiska bekymmer. Carl Larsson har själv med bitterhet konstaterat att hans egen barndoms påfrestningar berodde på faderns slarviga och ansvarslösa leverne. Hemmet hölls samman av en arbetsam, uppoffrande och kärleksfull mor. Att uppväxtårens bitterhet mot fadern dröjde sig kvar i minnet livet ut framgår på ett nästan skrämmande sätt av memoarboken "Jag". Denna bok innebar något av en chock för den svenska allmänheten, som i Carl Larsson sett inkarnationen av en lycklig, harmonisk och framgångsrik människa, som vunnit folkets kärlek och uppskattning. Bokens hänsynslösa bitterhet och dystra grundstämning i några av kapitlen blev för många en total överraskning. Den gav anledning till en "omvärdering" av konstnären, där en många gånger överdriven vikt lades vid de mörka sidorna av hans väsen. Någon eftertanke gör det dock klart att en klassi-fiering av Carl Larsson som en djupt pessimistisk, disharmonisk människa, som "grinade upp sig" i sin konst och inför omgivningen, är i grunden lika

felaktig som den tidigare. Det är uppenbart att det här inte är fråga om ett antingen-eller utan om ett både-och. Det måste också framhållas att "Jag" skrevs av en åldrande konstnär, som strax tidigare fått det konstverk (Midvinterblot) refuserat, som han själv ansåg vara sitt betydelsefullaste och som han satsat så mycket studier, arbete och engagemang på, av en människa, som märkt de första symptomen på den slutligen dödande sjukdomen, av en linjens suveräne behärskare, som nödgats konstatera att *"handen inte längre lyder mig"*. Alla dessa fakta måste göra att det knappast kan vara förvånande om de mörka sidorna så starkt kommit att dominera några av kapitlen i memoarerna. När Strindberg ville göra gällande att Carl Larssons öppet livsbejakande, kärlekstörstande och kärleksgivande attityd skulle vara en falsk mask, så kan man mycket väl förstå indignationen inför en sådan anklagelse. Det finns i hans livsverk överväldigande bevis för att såväl den levnadsglada, kärleksfulla, tacksamma attityden mot livet och vad det givit som den svarta pessimismen ända till förtvivlan fanns inom en och samma personlighet. Det står klart att han medvetet och med framgång för den breda allmänheten lyckades dölja svårmodet och framstå som den leende, vänlige glädjespridaren med sin konst och sitt författarskap och i umgänget med omvärlden. Antagligen var detta en form av själv-terapi, han ville vara har-monisk och lycklig, han ville till medmänniskorna förmedla harmoni och lycka, och i den strävan var han förvisso lyckosam. Han ville undanhålla omvärlden de sorger och besvikelser och det svårmod, som tidvis drabbade honom och som för honom var något strängt personligt. Även sina närmaste ville han bespara de påfrestningar dessa dystra perioder kunde innebära, en resväska stod alltid packad för flykt. Även om alltså den stora mängden av tavlorna i hans produktion speglar den ljusa sidan av hans temperament så är det knappast svårt att i en hel del av dem också spåra en dyster underton, men säkerligen undgick den flertalet av betraktarna helt enkelt därför att man vägrade att acceptera något annat än den bild av konstnären, som man en gång gjort sig, man ville inte ha den förändrad, inte ens kompletterad.

Den del av Carl Larssons produktion, sundborns-akvarellerna, som i allt väsentligt kommit att ligga till grund för allmänhetens uppfattning av konstnären och för hans popularitet i samtiden såväl som i dag, startades märkligt nog ganska slumpartat. Under en period av påtvingad inaktivitet inom de verksamheter som han själv ansåg som sina betydelsefullaste, monumentalmåleriet och det noggrant planerade staff/imåleriet, började det.

"Så kommo dessa regniga veckor i Sundborn, då jag på Karins uppmaning grep fatt i en gammal idé, att såsom ett minne i familjen rita av den lilla stugans väggar, men som jag fann detta litet tomt och intresselöst, ritade jag dit en unge·här, en annan där."

Det var bokförläggare Albert Bonnier, som gav idén om en text som komplement till bilderna. Med åren blev det en hel rad av bilderböcker med text, där var och en utgör en helgjuten enhet, en skildring av det hem som Carl och Karin Larsson tillsammans skapat och som stegvis vuxit fram under en följd av år allteftersom familjen utökats och behoven förändrats. Så småningom blev detta till en stor produktion av tavlor, flertalet akvareller, en del i olja, och som komplement till texten en hel del

teckningar. Här skaffade sig Carl Larsson en helt personlig och lätt igenkännbar stil. Paris-tidens mjuka, franska dis byttes mot en klar, ljus, svensk atmosfär. Många av tavlorna utfördes med en teknik, som närmast kan rubriceras som akvarellerad teckning, för att anpassas till dåtidens reproduktions-metoder. Texten kom att avslöja en ny sida i Carl Larssons konstnärsbegåvning, ett författarskap, som för samtiden framstod som något nytt, en helt personlig stilart, enkel, frisk, okonventionell och impressionistisk i samma anda som målningarna.

Nog var det väl något av självbedrägeri, när konstnären själv, åtminstone till att börja med, ville anse allt detta som en tillfällighetsproduktion, något som han *"övade handen med"* under kraftsamlingen inför de för honom själv betydelsefullare verken, där monumentalmåleriet alltid stod främst. I de helgjutna konstverk, som dessa böcker utgör, finns så mycket av kärlek, kraft och osviklig balans att de sannerligen vare sig för samtiden eller för nutiden framstår som tillfällighetsprodukter. Men det är nog ofta så att konstnärers egen rangordning mellan den egna produktionens skilda delar överensstämmer vare sig med den breda publikens eller med den professionella kritikens uppfattningar. Med åren förändrades hans egen inställning till böckerna helt och hållet, säkerligen under inverkan av den stora uppskattning, som visades dem av allmänheten både hemma och ganska snart även i utlandet. I "Jag" skrev han:

"Detta gick sida vid sida, parallellt med min övriga konstnärsverksamhet — att börja med — för sin egen skull, och kanske just därför det omedelbaraste och längst bestående av mitt livsverk. Ty detta är naturligtvis ett fullt äkta uttryck av min personlighet, av vad jag djupast känt, hela min gränslösa kärlek till maka och barn."

Det är på många sätt omvittnat vilken betydelse dessa böcker fick för den svenska hem-kulturen. De visade upp ögonblicksbilder ur familjens vardagsliv i ett hem, som radikalt skilde sig från det sena 1800-talets mörkbrunt murriga, tunga, överlastade stil. Det hem, som nu visades, var luftigt och lätt med ljusa, varma färger, palmerna hade bytts ut mot färgrika blommor från äng och trädgård. Till-byggnadernas arkitektur skulle kunna betecknas som väl genomtänkta improvisationer med ett utnyttjande av byggnadsvolymen, som gör skäl för namnet funktionalism i detta ords bokstavliga betydelse. Möbler ritades av konstnärsparet, förfärdigades av by-snickaren och målades av by-målaren. En gungstol, ritad av Karin Larsson, ansåg snickaren så egendomlig att han levererade den först efter mörkrets inbrott för att inte bli utskämd av by-borna, något som kan illustrera hur modern eller till och med extrem stilen hos flera av deras alster uppfattades av samtiden. En del av dem skulle mycket väl kunna tros vara framställda 1976.

Det måste påpekas att detta hem skapades av Carl och Karin Larsson gemensamt. När de träffades i den svenska konstnärskolonien i Frankrike i början av 1880-talet, var de där i samma ärende, att lära sig måla. Efter giftermålet slutade hon med måleriet och kanaliserade sina konstnärsambitioner i textilkonsten. På många av tavlorna kan man se hennes alster, komponerade och förfärdigade av henne själv, många gånger i en stil, som även den i dag skulle kunna kallas modern. Också de kläder, som hon sydde för egen och barnens räkning, betydde en ny stil, funktionell i lika hög grad som möblernas. Detta hem kom alltså att bli stilbildande, helt enkelt en revolution i den svenska hem-kulturen under tidigt 1900-tal. Säkerligen kan också en hel del drag i dagens svenska hem-stil tolkas som sen-effekter eller vidare-utveckling av denna revolution.

Utan tvivel har det varit så att Carl Larsson under de första årtiondena efter hans död på många håll framställdes som alltför flyhänt, ytlig, glättad, problemlös osv. i sin konst. I dag, ytterligare några årtionden senare, åtnjuter han en bred popularitet liknande den, som kom honom till del under hans livstid och som också denna gång har spritt sig långt utanför landets gränser. Man kan fråga sig vad Carl Larssons konst har att säga dagens människor. Den intressanta analysen måste överlåtas åt de konst- och kulturhistoriskt professionella. Här kan endast konstateras att den uppskattning, som hans konst i dag är föremål för, har vuxit fram spontant och måste vara resultatet av dess egna kvaliteter, vad det nu än kan vara, som rör publikens sinnen. All popularitet står inför risken att bli överexploaterad, och så måste tyvärr sägas ha skett också med Carl Larsson, vars namn sammankopplats med allsköns prylar i dagens flod av varor. Viktigt är då att det till överkomligt pris finns material tillgängligt med en kvalitet, som verkligen gör konstnären rättvisa. Avsikten med denna bok har av förläggaren uppgivits vara att ställa samman ett antal Carl Larsson-tavlor, som kan fungera som en källa till glädje, avkoppling och skönhetsupplevelse. Om denna förhoppning infriats får den enskilde betraktaren själv bedöma. Förhoppningsvis kan denna bok hos betraktaren stimulera till en längtan efter att få se och lära mera av och om Carl Larsson och hans verk och kanske att få se hemmet i Sundborn med egna ögon.

Göteborg i maj 1976

Stig Ranström

Biografiska data

1853   Den 28 maj föddes Carl Larsson i huset Prästgatan 78 i Gamla Stan i Stockholm

1866   Inskrevs han i principskolan vid Konstakademien. Försörjde sig själv som retuschör hos fotografer.

1869   Flyttades han till antik-klassen och blev därmed fast elev vid Konstakademien.

1871   Började som tecknare i skämttidningen Kasper. Var reportage-tecknare i Ny Illustrerad Tidning. Fick en del uppdrag som bok-illustratör.

1877   Första resan till Paris. Illustrerade Moes Nordiska folksagor, senare Sätherbergs Blomsterkonungen, J.O. Wallins Dödens ängel och Strindbergs Svenska folket i helg och söcken, Topelius' Fältskärns berättelser.

1878   Blev han redaktör för Palettskrap.

1879   Det första anspråkslösa uppdraget i monumental-måleri, plafond i Bolinderska våningen i Stockholm.

1880   Åter i Paris, refuserad två gånger på Salongen.

1882   Flyttade han till den skandinaviska konstnärs-kolonien i Gréz-par-Nemours ett stycke utanför Paris och träffar där Karin Bergöö. Förlovning i september. Målar en rad akvareller och får medalj på Salongen.

1883   Den 12 juni bröllop i Adolf Fredriks kyrka i Stockholm, bröllopsresa direkt tillbaka till Gréz.

1884   Illustrerar Anna Maria Lenngrens Samlade skalde-försök. Kallas till agrée vid Konstakademien men avböjer erbjudandet, starten till en öppen opposition mot akademien. Hem till Sverige.

1885   Parisersvenskarna gör en egen utställning i Stockholm under rubriken "Från Seinens strand". Under sommaren gör C L tillsammans med svärfadern en resa i Dalarna och besöker då för första gången Sundborn, den Bergööska familjens hembygd, även stugan Lilla Hyttnäs, ägd av svär-fadern och bebodd av hans bägge systrar, den gård, som senare skulle bli Carl och Karin Larssons hem. C L arrangerar tillsammans med Ernst Josephson Opponenternas utställning i Stockholm.

1886   I samband med invigningen i Valands konsthall i Göteborg bildas Konstnärsförbundet. C L blir en av de sex i styrelsen. Han accepterar mecenaten Pontus Fürstenbergs erbjudande att bli lärare vid Valands konstskola.

1888   Åter i Paris för att måla en triptyk för galleriet i Fürstenbergs hus i Göteborg, den ställs senare ut på Salongen och belönas med guldmedalj. Deltar i den första tävlingen om väggmålningar i National-muséi trapphall i Stockholm. Familjen får Lilla Hyttnäs i Sundborn som gåva av svärfadern.

1889   Bor för första gången i Sundborn.

1890—1892   Målar väggmålningarna Svenska kvinnan genom tiderna i Elementarläroverket för flickor i Göteborg. Arbetar vidare på förslaget till National-muséi trapphall, nu med nya motiv. Efter en schism mellan Konstnärsförbundet och den nybildade Sveriges konstnärers förening lämnar C L bägge sammanslutningarna men deltar även i fort-sättningen i förbundets utställningar. En ny sejour som lärare vid Valands konstskola.

1892—1894   Fortsätter arbetet med bokillustrationer, Sehlstedts Sånger och visor, Rydbergs Singoalla och andra. Börjar en lång serie tavlor, mest akvareller, beskrivande hemmet i Sundborn. Får beställningen att måla Nationalmuséi trapphall, den nedre avdelningen.

1895—1896   Nationalmuséifreskerna blir färdiga. C L

köper bondgården Spadarvet i Sundborn. En del av bilderna från hemmet ställs samman med teckningar och text till boken De Mina, det första försöket som författare.

1897 Målar plafonder för taket i Operans foajé.

1899 Ny monumentalmålning, Korum i Norra latin-läroverkets aula i Stockholm. En andra bok om hemmet i Sundborn och familjen, Ett Hem.

1900 Hemmet i Sundborn får sin slutliga utformning med en ny och tillräckligt stor ateljé. Midsommardagen döps alla sju barnen samtidigt.

1902 För aulan i Hvitfeldtska läroverket i Göteborg målas tavlan Ute blåser sommarvind. Den tredje Sundbornsboken, Larssons.

1905 Plafonder för taket i Dramatiska teaterns foajé i Stockholm.

1906 Ytterligare en bok, Spadarvet, skildrande livet på bondgården året runt.

1910 Den sista boken om hemmet, Åt Solsidan.

1913—1918 Boken Andras Barn, en samling barn-porträtt med text. Så tager C L på allvar itu med uppgiften att fylla den återstående tomma väggen i Nationalmuséi övre trapphall. Han väljer ämnet Midvinterblot, kungen, som offrar sitt liv till gudarna för att rädda sitt nödlidande folk. Förslaget presenteras som skiss och tages emot med särdeles blandade känslor, efter en lång och uppslitande debatt avsäger sig C L uppdraget. Han målar trots det tavlan färdig 1915. Striden lämnar efter sig resignation och olust för målning. Han gör dock bl.a. en serie porträtt av skilda yrkesmän i Sundborn och överlämnar dem till sockenstugan i Sundborn. Hans huvudsakliga sysselsättning är skrivandet av memoarerna med titeln Jag.

1919 Två dagar efter det att manuskriptet blivit färdigt avlider Carl Larsson den 22 januari i hemmet i Falun.

Framför spegeln. 1900. Oljemålning. 240×99 cm. Göteborg, Göteborgs Konstmuseum.
Självrannsakan. 1906. Oljemålning. 93×61 cm. Firenze, Uffizi.

Da'n före julafton. 1892. Akvarell. 33 × 48 cm.
Sundborn, Carl Larsson-gården.

TILL EMMY SOM ETT MINNE AF
UNGARNA I SUNDBORN AF

Ulf och Pontus. 1894. Akvarell. 30 × 62 cm.
Göteborg, Göteborgs Konstmuseum.
Brita och jag. 1895. Akvarell. 28 × 64 cm.
Göteborg, Göteborgs Konstmuseum.
Karin och Kersti. 1898. Akvarell. 27 × 63 cm.
Göteborg, Göteborgs Konstmuseum.

Lisbeth med gul tulpan. 1894. Akvarell.
Privat ägo.

Lilla Hyttnäs. 1896. Akvarell. 43 × 32 cm.
Stockholm, Nationalmuseum.

Verandan. 1896. Akvarell. 43 × 32 cm.
Stockholm, Nationalmuseum.

Pappas rum. 1896. Akvarell. 43 × 32 cm.
Stockholm, Nationalmuseum.

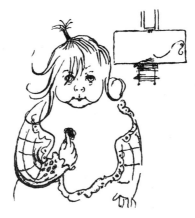

Köket. 1896. Akvarell. 43 × 32 cm.
Stockholm, Nationalmuseum.

Ateljén, ena hälften. 1896. Akvarell. 43 × 32 cm.
Stockholm, Nationalmuseum.

„Lisbeth tycker INTE
om 'pindlar och totar-
murre – BARA 'nälla
julgubben!

ser på pappas „talva„

Ateljén, andra hälften. 1896. Akvarell. 43 × 32 cm.
Stockholm, Nationalmuseum.

Lathörnet. 1896. Akvarell. 43 × 32 cm.
Stockholm, Nationalmuseum.

Gamla Anna. 1896. Akvarell. 43 × 32 cm.
Stockholm, Nationalmuseum.

Britas tupplur. 1896. Akvarell. 43 × 32 cm.
Stockholm, Nationalmuseum.

När barnen lagt sig. 1896. Akvarell. 43 × 32 cm.
Stockholm, Nationalmuseum.

Bron. 1896. Akvarell. 43 × 32 cm.
Stockholm, Nationalmuseum.

Söndagsvila. 1896. Akvarell. 104×68 cm.
Stockholm, Nationalmuseum.

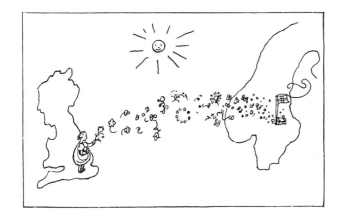

Till Karindagen 1899. 1899. Akvarell. 63 × 45 cm.
Sundborn, Carl Larsson-gården.

Kring aftonlampan. 1900. Akvarell. 38 × 45 cm.
Stockholm, Thielska Galleriet.

Mammas och småflickornas rum. 1900. Akvarell. 43 × 32 cr
Stockholm, Nationalmuseum.

Frukost under stora björken. 1900. Akvarell. 43 × 32 cm.
Stockholm, Nationalmuseum.

Sjusoverskans dystra frukost. 1900. Akvarell.
Privat ägo.

Kräftfångst. 1900. Akvarell. 43 × 32 cm.
Stockholm, Nationalmuseum.

Namnsdag på härbret. 1900. Akvarell. 43 × 32 cm.
Stockholm, Nationalmuseum.

Gården och brygghuset. 1900. Akvarell. 43 × 32 cm.
Stockholm, Nationalmuseum.

Titt ut. 1901. Litografi. 56×40 cm.
Sundborn, Carl Larsson-gården.

Under björkarna. 1902. Akvarell. 63×98 cm.
Stockholm, Thielska Galleriet.

Mor och dotter. 1903. Akvarell. 74×60 cm.
Stockholm, Thielska Galleriet.

Den första läxan. 1903. Oljemålning. 350 × 176 cm.
Norrköping, Norrköpings Museum (De Geerskolan).

Äppelskörd. 1904. Akvarell.
Stockholm, K.O. Bonniers samling.

Ladugården. 1905. Akvarell. 50×35 cm.
Stockholm, K.O. Bonniers samling.

Gården. 1905. Akvarell. 50 × 35 cm.
Stockholm, K.O. Bonniers samling.

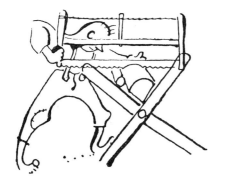

I snickarboden. 1905. Akvarell. 50 × 35 cm.
Stockholm, K.O. Bonniers samling.

Isblock-saga. 1905. Akvarell. 50 × 35 cm.
Stockholm, K.O. Bonniers samling.

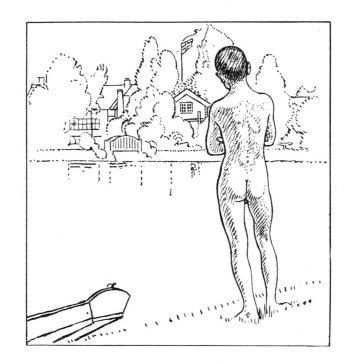

Fisket. 1905. Akvarell. 50×35 cm.
Stockholm, K.O. Bonniers samling.

Harvningen. 1905. Akvarell. 50×35 cm.
Stockholm, K.O. Bonniers samling.

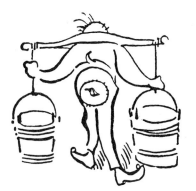

På trädan. 1905. Akvarell. 50 × 35 cm.
Stockholm, K.O. Bonniers samling.

Såningsman. 1905. Akvarell. 50×35 cm.
Stockholm, K.O. Bonniers samling.

På vall i hagen. 1905. Akvarell. 50 × 35 cm.
Stockholm, K.O. Bonniers samling.

I kyrkan. 1905. Akvarell. 50 × 35 cm.
Stockholm, K.O. Bonniers samling.

Azalea. 1906. Akvarell. 62 × 45 cm.
Stockholm, Thielska Galleriet.

Modellen skriver vykort. 1906. Akvarell. 100 × 68 cm.
Stockholm, Thielska Galleriet.

Julafton i Sundborn. Triptyk. 1907 Oljemålning. Varje del 152 × 183 cm. Helsingborg, Helsingborgs Museum.

Mitt etslokus. 1910. Akvarell. 74 × 52 cm.
Helsingborg, Helsingborgs Museum.

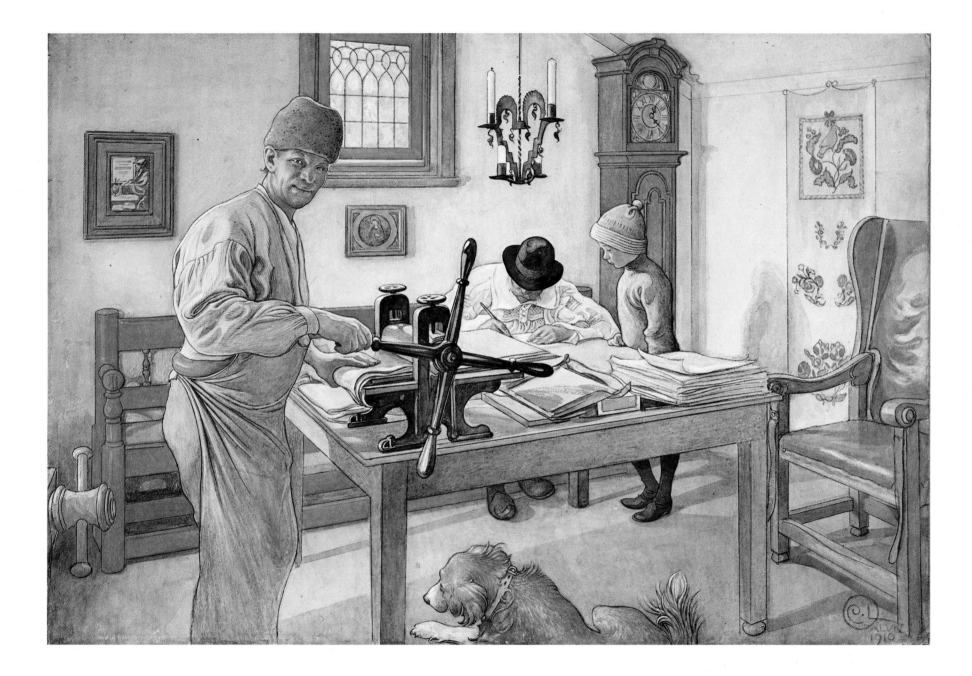

Frukost i det gröna. 1910—1913. Oljemålning. 408×193 cm.
Norrköping, Norrköpings Museum.

Självporträtt. 1912. Akvarell. 50 × 35 cm.
Stockholm, K.O. Bonniers samling.

Interiör med kaktus. 1914. Akvarell. 75 × 52 cm.
Helsingborg, Helsingborgs Museum.

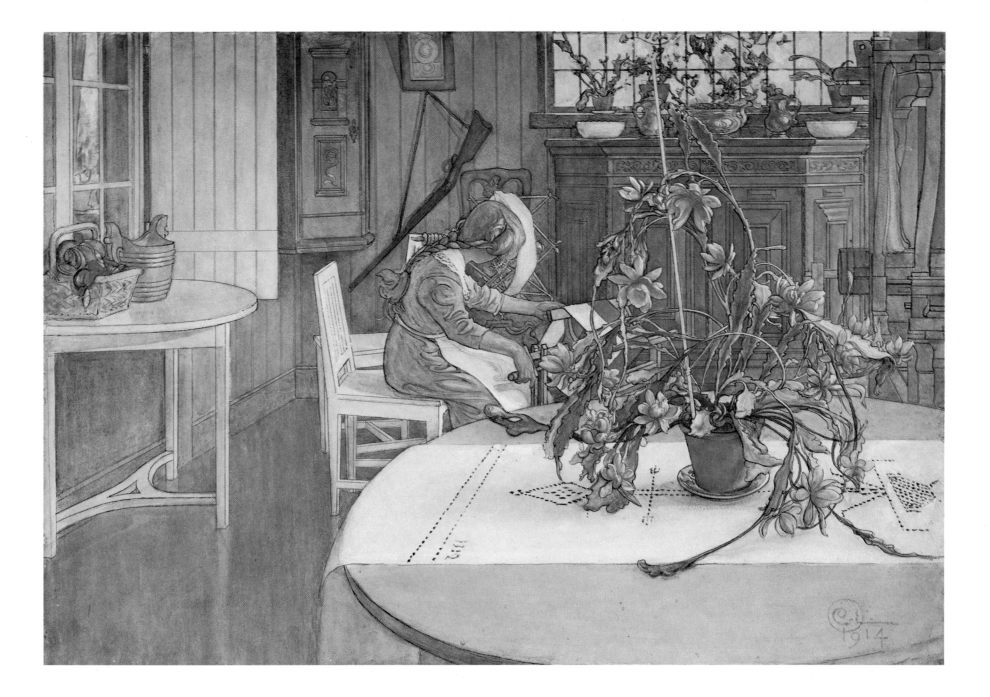